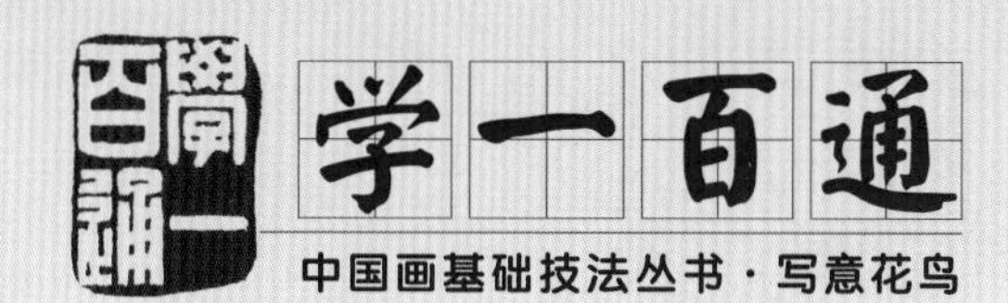

中国画基础技法丛书·写意花鸟

荷花

HEHUA

陈再乾◎著

ZHONGGUOHUA JICHU JIFA CONGSHU·XIEYI HUANIAO

广西美术出版社

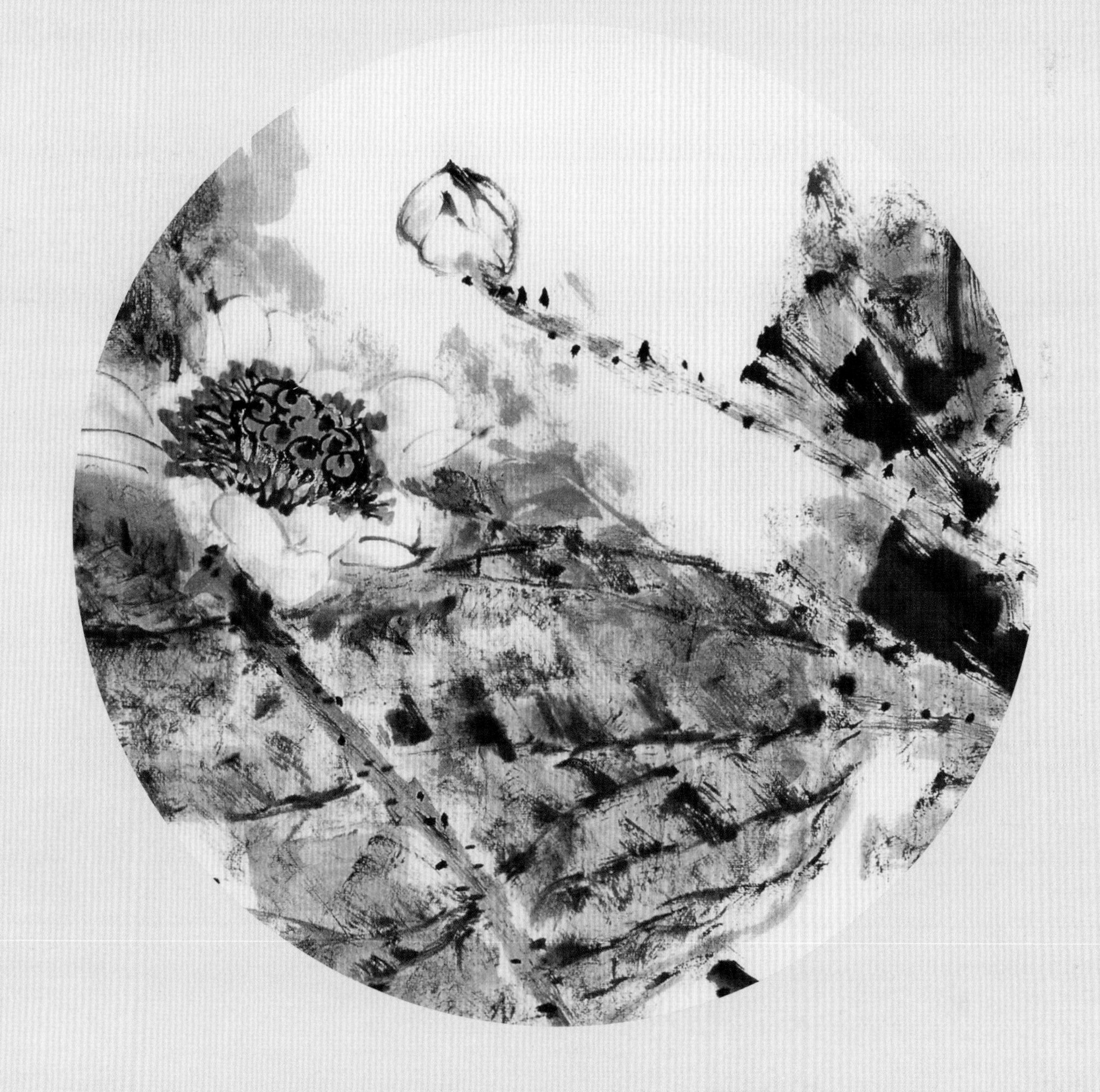

序

中国画，特别是中国花鸟画是最接地气的高雅艺术。究其原因，我认为其一是通俗易懂，如牡丹富贵而吉祥，梅花傲雪而高雅，其含义妇孺皆知；其二是文化根基源远流长，自古以来中国文人喜书画，并寄情于书画，书画蕴涵着许多文化的深层意义，如有梅、兰、竹、菊清高于世的四君子，有松、竹、梅岁寒三友！它们都表现了古代文人清高傲世之心理状态，表现人们对清明自由理想的追求与向往也。为此有人追求清高的，也有人为富贵、长寿而孜孜不倦。以牡丹、水仙、灵芝相结合的“富贵神仙长寿图”正合他们之意；想升官发财也有寓意，画只大公鸡，添上源源不断的清泉，为高官俸禄，财源不断也，中国花鸟画这种以画寓意，以墨表情，既含蓄表现了人们的心态，又不失其艺术之韵意。我想这正是中国花鸟画得以源远而流长，喜闻而乐见的根本吧。

此外，我国自古以来就有许多学习、研读中国画的画谱，以供同行交流、初学者描摹习练之用。《三竹斋画谱》《芥子园画谱》为最常见者，书中之范图多为刻工按原画刻制，为单色木板印刷与色彩套印，由于印刷制作条件限制，与原作相差甚远，读者也只能将就着读画。随着时代的发展，现代的印刷技术有的已达到了乱真之水平，给专业画者、爱好者与初学者提供了一个可以仔细观赏阅读的园地。广西美术出版社编辑出版的“中国画基础技法丛书——学一百通”可谓是一套现代版的“芥子园”，是集现代中国画众家之所长，是中国画艺术家们几十年的结晶，画风各异，用笔用墨、设色精到，可谓洋洋大观，难能可贵，如今结集出版，乃为中国画之盛事，是为序。

黄宗湖教授

2016年4月于茗园草

作者系广西美术出版社原总编辑

广西文史研究馆画院副院长

齐白石《荷花蜻蜓》

一、荷花概述

荷花在古代又称莲花、芙蓉、芙蕖、菡萏、水旦、藕花等，是中国画中经常表现的题材。

荷花的历史非常悠久。荷花出现于亿万年前，是被子植物中起源最早的植物之一，被称为植物中的“活化石”。西周时野生荷花开始作为食用蔬菜被引进到田间池塘进行人工种植，《周书》中就有“薮泽已竭，既莲掘藕”的说法。公元前473年，吴王夫差在他的离宫为宠妃西施赏荷而修筑“玩花池”，是荷花作为观赏植物的最早记载。荷花最初为单瓣，后来经历代的栽培与选育，产生了复瓣、重瓣、佛座、重台、千瓣莲等品种，花型繁多，仪态万千。荷花有红色、白色、粉红等颜色。荷花不仅清新高洁、端庄雅丽，而且还散发着宜人的香味，微风拂过，香气四溢，清新宜人，深受人们的喜爱。

人们爱荷花的美。历代以来就不少咏荷的诗篇和文章。战国时期的伟大爱国诗人屈原有“制芰荷以为衣兮，集芙蓉以为裳”的名句；到三国魏时曹植在《芙蓉赋》中写的“览百卉之英茂，无斯华之独灵”，把荷花推为群芳之首；而李白写的“清水出芙蓉，天然去雕饰”则是咏荷之名句；王昌龄则有“荷叶罗裙一色裁，芙蓉向脸两边开”的赞叹；李清照有“兴尽晚回舟，误入藕花深处”的感慨；杨万里有“毕竟西湖六月中，风光不与四时同。接天莲叶无穷碧，映日荷花别样红”的诗句；而近代朱自清的散文《荷塘月色》亦脍炙人口，耳熟能详。荷花还因它的生长习性被人们赋予高贵的品质。荷花在周敦颐的《爱莲说》中被认为是“出淤泥而不染，濯清涟而不妖，中通外直，不蔓不枝，香远益清，亭亭净植，可远观而不可亵玩焉”，被赋予高洁而不同流合污的高贵品质，成为历代文人理想人格的象征。

人们喜爱荷花还因为它是吉祥的象征。因为莲蓬多子，被喻为“多子多孙”；荷花常有并蒂现象，而被喻为“并蒂同心”；莲又与“年”“连”音近或同音，荷又与“合”同音，所以通过和其他物象的组合又有年年（莲）有余（鱼）、连（莲）生贵子、连年（莲）登科、延年（莲）益寿、和（荷）合二仙等含义；另外还有鱼钻莲、鸳鸯戏莲等寓意男女好合、早生贵子的意思。因此荷花又成了民间年画、剪纸里经常出现的题材，从中寄托人们对生活的美好愿望。作为吉祥纹样的荷花还常常出现在青铜器、陶器、瓷器、丝织品、家具等工艺品上。因而荷花成了历代以来画家们所钟爱表现的题材。宋代的《出水芙蓉图》细腻精致，典雅秀丽，艳而不俗，是工笔荷花中的精品；明代陈洪绶的《荷花鸳鸯图》造型独特，极具个性，气韵高古；而八大山人的墨荷，秀润奇崛，个性张扬，别具一格；齐白石的荷花，清新明丽、潇洒磊落；潘天寿所画之荷，挺拔有力，水墨淋漓；张大千、李苦禅、刘海粟等诸多名家，也都是画荷的高手。

荷花实物照片

清　朱耷《荷花图》

清　恽寿平《荷花图》

潘天寿《新放图》

齐白石《荷》

二、笔　墨

中国花鸟画的写意画法是相对于中国花鸟画的工笔画法而言的。中国花鸟画的写意画法“意”在笔先，再对物象的“形”进行似与不似的创意来达到一定的意境，以抒发画家的情感、意趣，表达画家的人格和精神世界。但不管是中国花鸟画的写意画法还是工笔画法，它们都要通过特定的作画工具来达到作画的目的。

用笔

画论中“六法”之首为“骨法用笔”。中国画用笔是指如何运用笔锋，表现笔墨效果。用笔有正、侧、藏、露、顺、逆、散、聚、立、卧、转、折、轻、重、提、按、快、慢、方、圆、畅、涩。

正（中）锋：行笔时笔尖在笔道中间，效果圆实厚重。

侧锋：行笔时笔尖偏侧笔道一边，效果轻、薄、飘逸，墨色浓淡变化较大。

藏锋：起笔时将笔锋折藏在笔道里，收笔时将笔锋收回。

露锋：与藏锋用笔相反。

顺锋：顺着手和笔道拖拉，笔道光润。

逆锋：逆势推笔走即为逆锋。效果较苍涩，变化多，易松散开。

散锋：根据需要把全聚的笔锋在纸上研散运用。

立：将笔杆放得较立起运用。

卧：将笔杆相对放平卧式运用。

转、折：行笔改变方向，用硬折的方式，就叫折；用圆转的方式，就是转。转的效果是圆的，折的效果是方的。

轻、重、提、按：是指根据造型用笔的需要而使出轻重不同的力度或提起，或按下。

快、慢：指的是行笔的速度。行笔速度的快慢可产生滑润或枯涩的效果。行笔速度有时要根据水分的多少、纸吸水的快慢、纸的厚薄而定。

方、圆、畅、涩：是用笔的笔迹效果，也可属画家的用笔风格。方多棱角直面，圆多润滑，畅则多顺达，涩则较枯滞缓慢。

初学绘画应特别注重练笔，要做到勤学多练，特别是多练习悬腕、悬笔。写意画最好是站立练笔，只有将指、腕、肩、腰力与笔浑然一体来运用，方能得心应手。

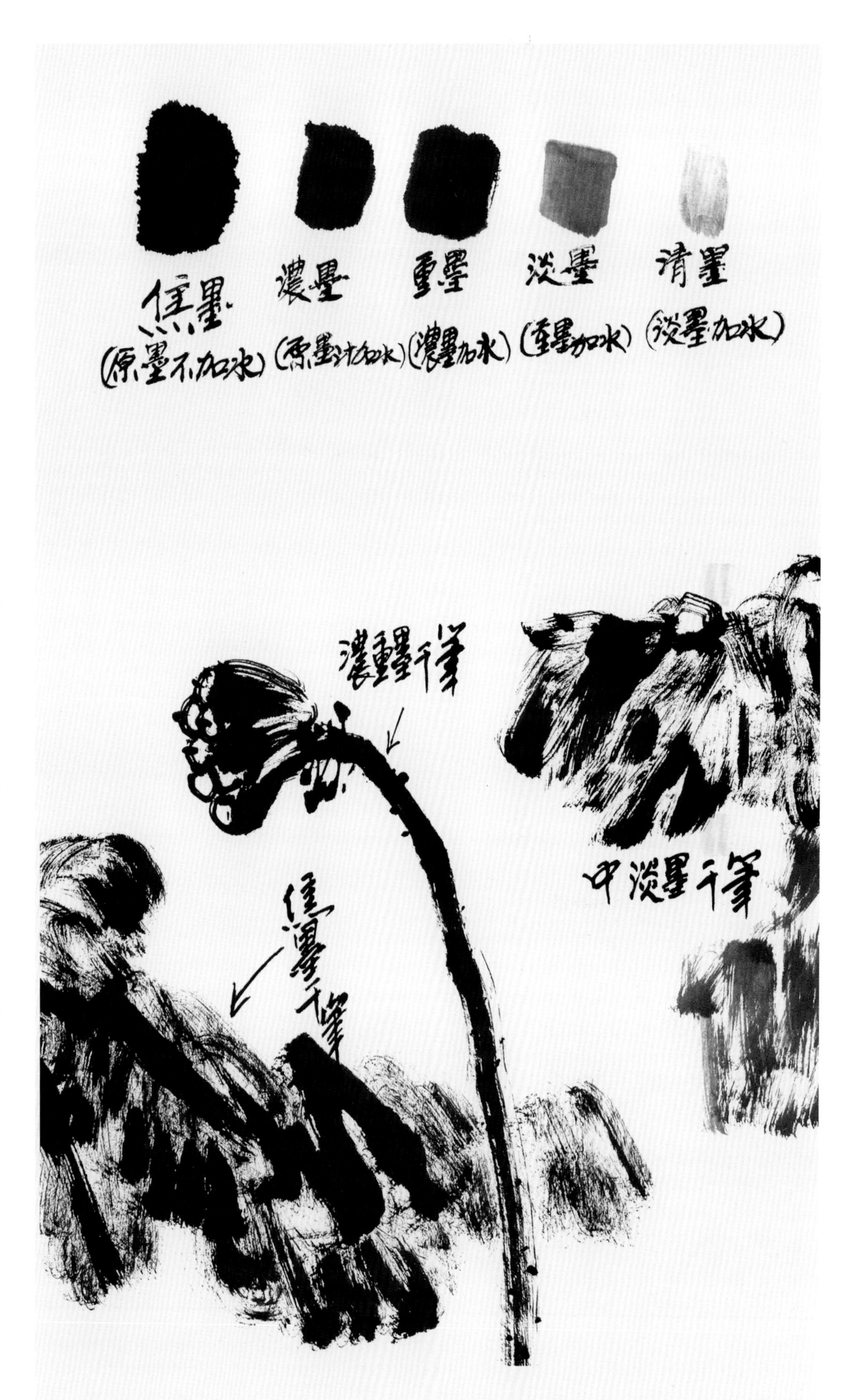

用墨

笔墨是不可分割之体，用笔见骨，用墨见肉，骨肉相连。用墨的关键是把握住墨的浓、淡、干、湿关系和墨的色彩感觉关系。

墨分五墨六彩。五墨就是焦、浓、重、淡、清。六彩就是浓、淡、干、湿、黑、白。

墨的浓淡变化排序即是墨阶。用墨既要注意浓淡的变化和对比，又要注意避免墨阶跨距过远使墨脱节而形成的墨气不贯，同时还要注意干与湿的对比运用，这样才能使墨成为生动活泼的“活墨”。

用墨应体现浓、淡、干、湿，这也是审视一幅画用墨用水的要求。

当天作画用过的墨盘里的剩墨一般都要洗掉，因为墨中已混入清水或色粉等物，再经风化，很容易沉淀产生粗颗粒，次日即为宿墨，作画容易灰脏。如果要使宿墨还原再用，可以在其中加入几滴烈酒，再以油烟墨条研磨后即可。

从墨的浓淡中可以联想出色彩之感觉印象。焦墨如深黑、深蓝、深绿，浓墨如深红、深紫，重墨如中红、中绿、中蓝、深黄，淡墨如中黄、淡红，清墨如粉嫩各色，白为固有色，但不可视留空之白为白纸，而应是指为根据画面所需构成的白色之物。

浓破淡：先以淡墨画之，后以浓墨画所要之形，淡墨未干为之佳。

淡破浓：以浓墨写形，未干即以淡墨破之。

三、着 色

中国画以单纯的墨色作画，同样可以使人感到丰富多彩，显得高雅、耐人寻味。但通过着色的画会显得华丽、润泽、浑厚。

着色，是值得摆在重要位置研讨的问题。“色不伤墨”“色调和谐”等都是经验总结。所以着色首先得了解颜色的性能，把握画面所需要的色彩调子。

写意花鸟画可以先画完墨稿，墨干后再着色，也可以墨色混画，或以色没骨点画，根据需要还可以间以醒点，画完再以淡色浑罩，烘托也可，均应根据不伤墨和色调需要而灵活运用。

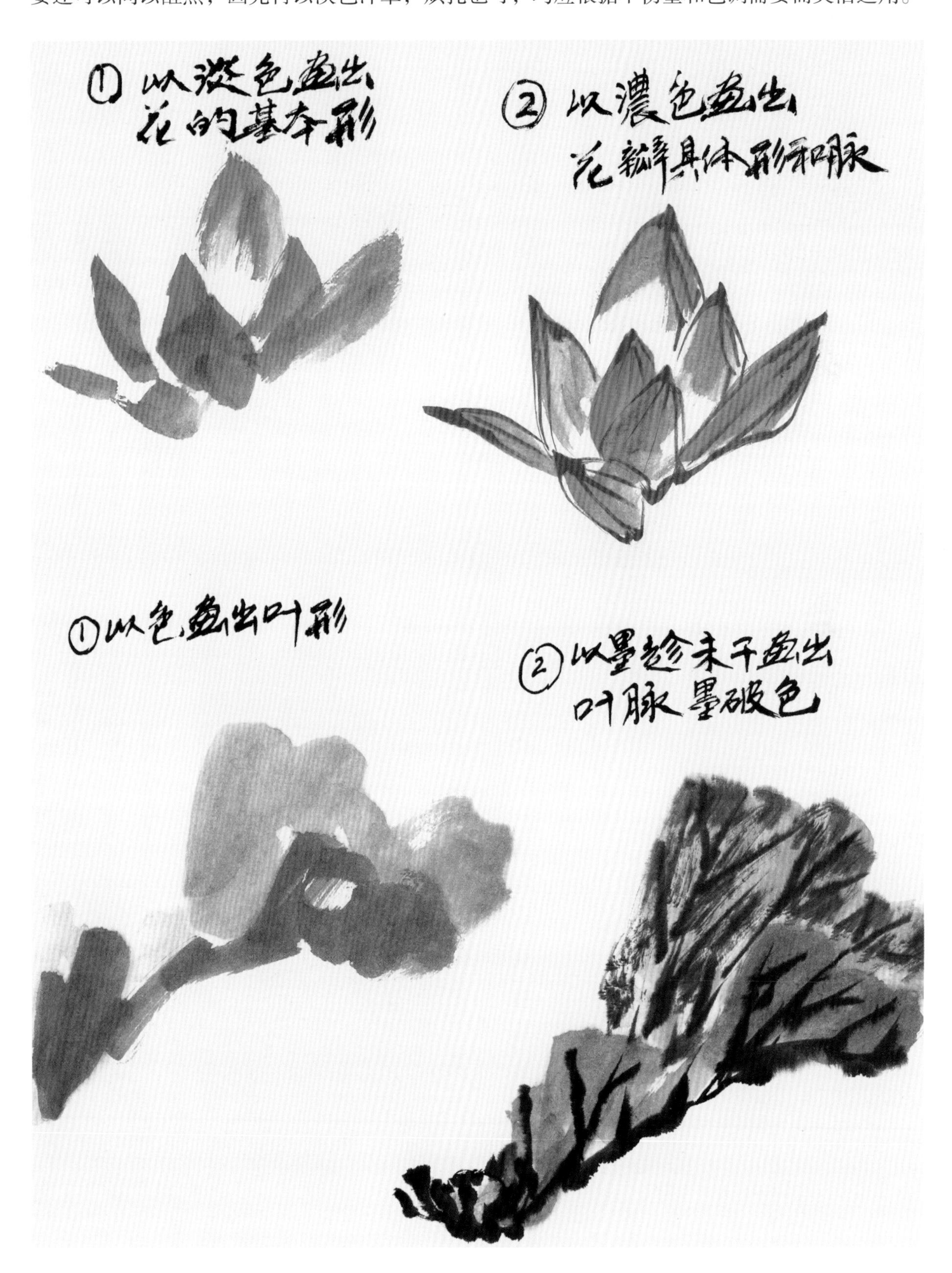

四、构　图

构图是重要环节，“六法”中的“经营位置”即是构图。构图的好坏影响着整体画面的效果。构图方法很多，一般来说常用的构图方法有“两组线”构图、“三组线”构图、“十”字构图、“X”形构图、“之”字构图、“S”形构图、“C”形构图和三角形构图等，下面介绍几种常见构图方法。

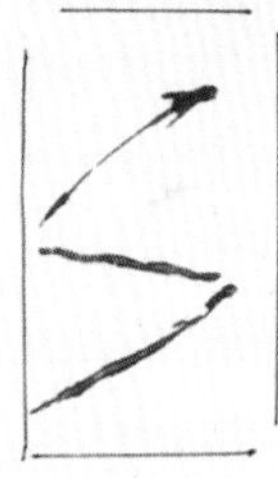

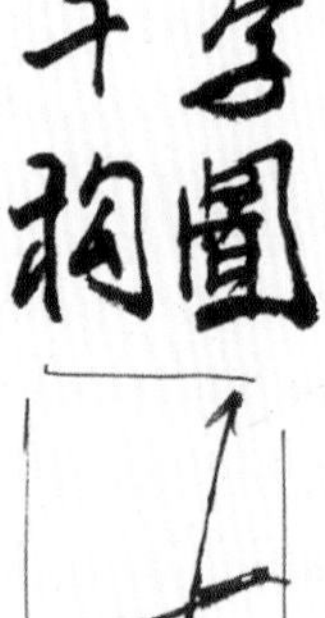

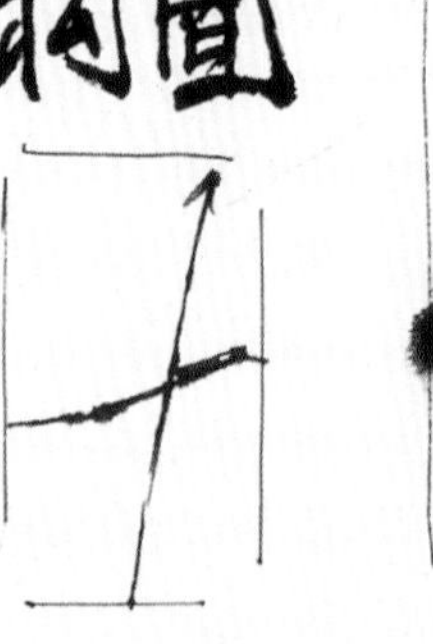

白描写生十字构图举例

白描写生两组线构图举例

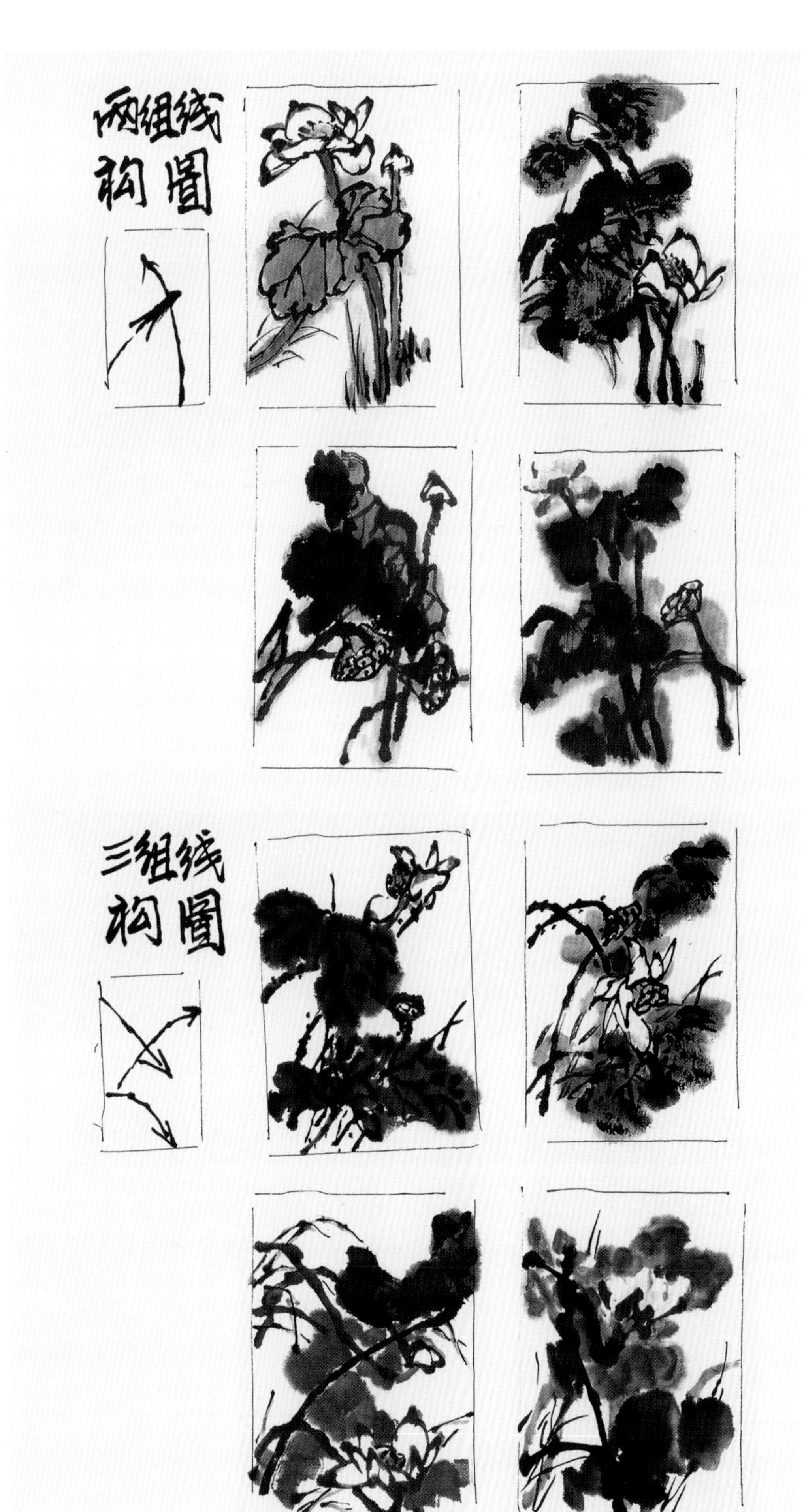

白描写生三组线构图举例

五、荷花画法

（一）花头的画法

1.花苞画法

①以中锋画出花苞形托底瓣。

②添加上瓣线条时，要注意不与下瓣线条平行。

③添完三瓣，线条均不能平行，要富于变化。

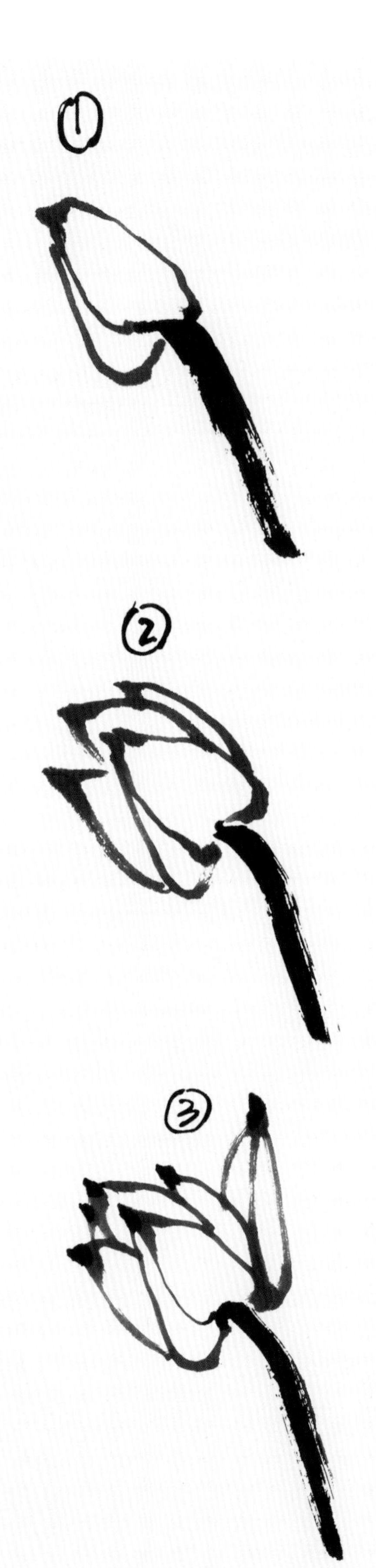

花苞实物照

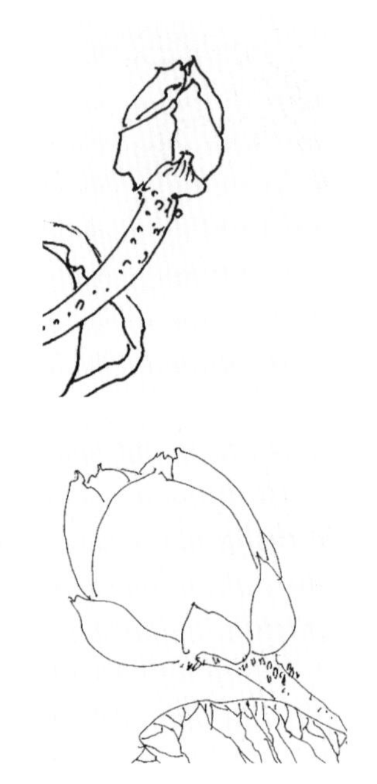

花苞白描写生

先以中锋画出花苞形托底瓣，在托底瓣之上再加花瓣。画时注意构成花瓣的线条之间不能平行。

2. 莲蓬画法

莲蓬实物照

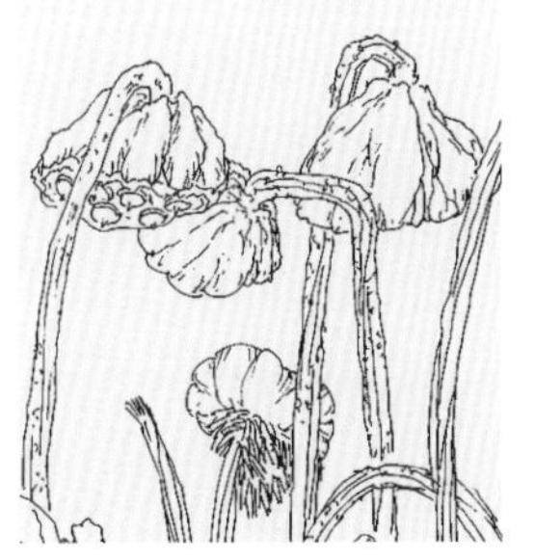

莲蓬白描写生

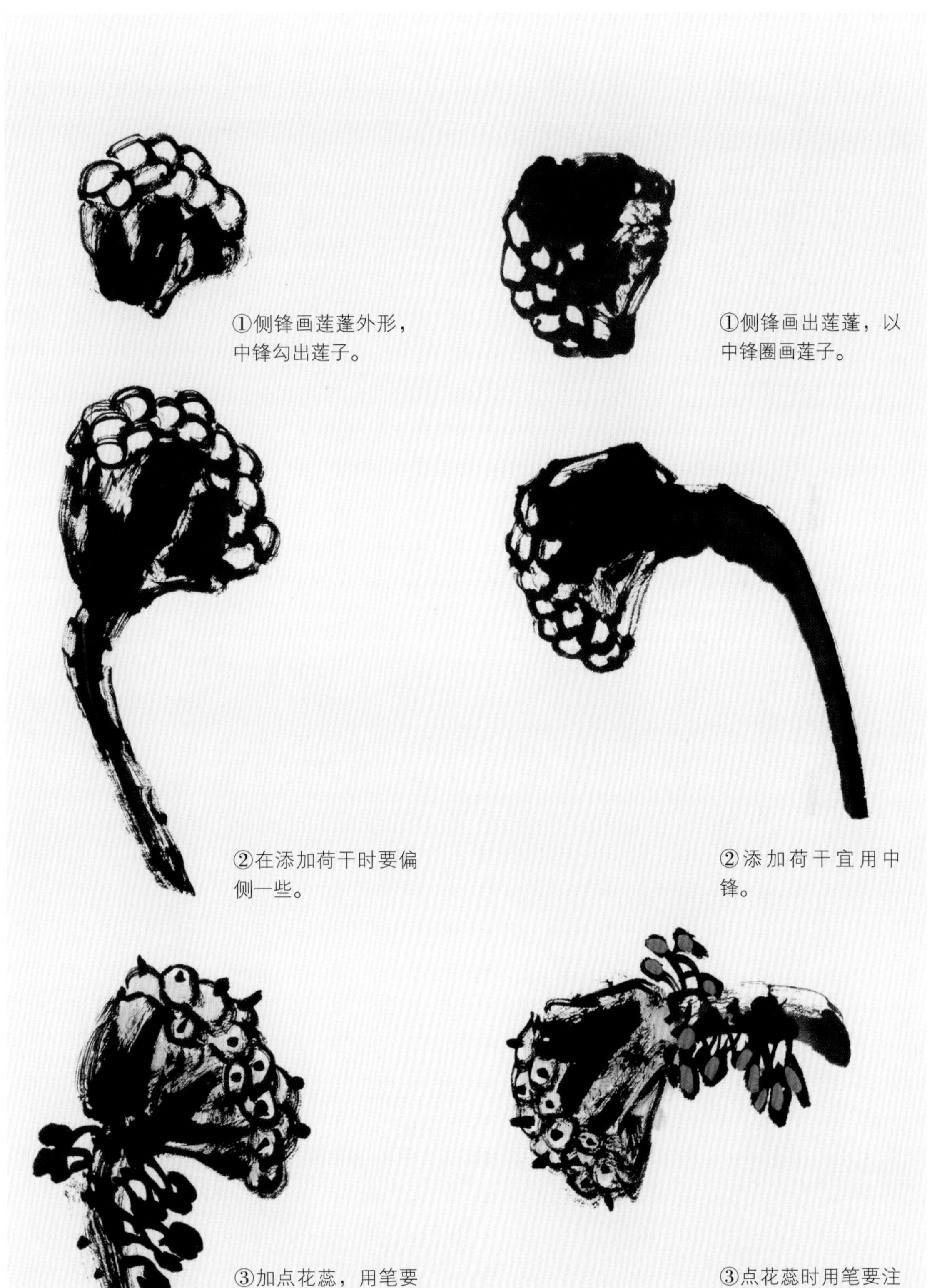

画莲蓬时先以侧锋下笔，再以线勾勒，画时要注意有线有面以及用笔的浓、淡、干、湿变化。莲子注意不要画对称，一边画得鼓一点，另一边画少一点，这样才不显呆板。点蕊也要一边多一边少，注意疏密关系。

3. 花头画法

①先画前面大花瓣再画旁边侧瓣，花瓣要大小不同以示正侧之感。

正面花头实物照

正面花头白描写生

②

②添加后面的大瓣。

③最后加小瓣、花蕊、莲蓬，画时要注意密实紧凑。

先画前面的大花瓣，再画旁边的小花瓣，最后加外围的大花瓣。画时要注意中间画得密实些，外边画得松动些，还要注意花瓣的疏密、开合关系。

侧面花头实物照

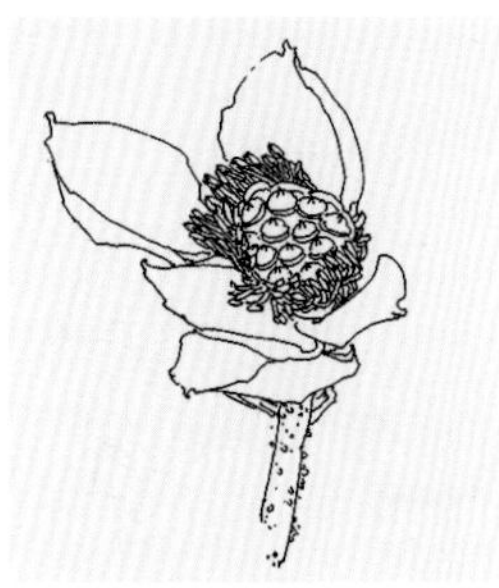

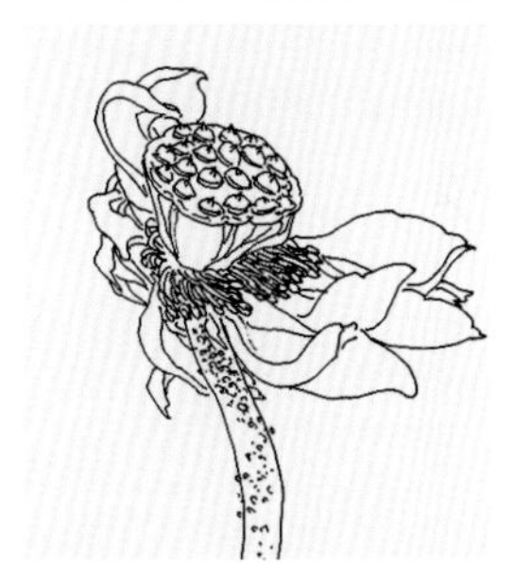

侧面花头白描写生

先以侧锋画花房，中锋圈莲子，花瓣用中锋双勾，花瓣宜有大小变化，整花造型注意不要太方正，画完之后再加花蕊。中锋用笔画荷干，最后在荷干上打点。打点时注意一部分点点在荷干内，一部分点压在边缘上。

①先画花房，以侧锋画出房体形状，以中锋圈画莲子。

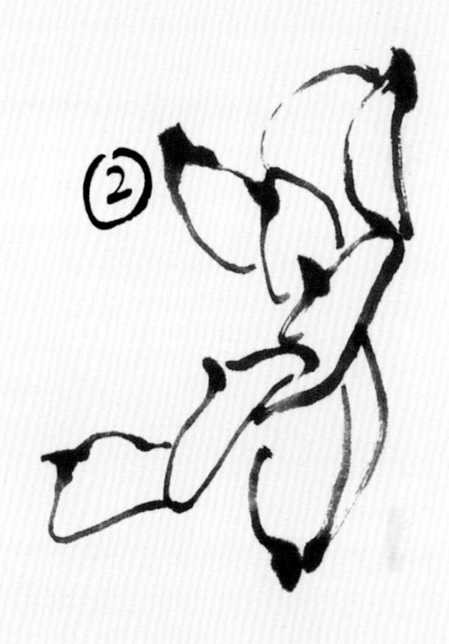

②添写前面的花瓣宜有大小变化及叠瓣。

③添加后瓣时注意整花形状不宜太圆，或过分方正，最后添荷干、点花蕊、点莲子。画点时要稳重，点与点之间注意有疏密关系。

4. 彩色荷花画法一

清水笔头点少许红色（红色不作具体规定，只要自己喜欢的即可），分一笔或两笔按下，趁湿以重色勾勒花瓣。勾画时注意要见笔，要有力度，有时线条可略微跑出色外，以增强画面的灵动感。

画荷干时不用洗笔，可用原来带红色的笔直接点墨，这样墨色更具连贯性。画荷干时注意不要直冲花头，可略偏左或偏右。

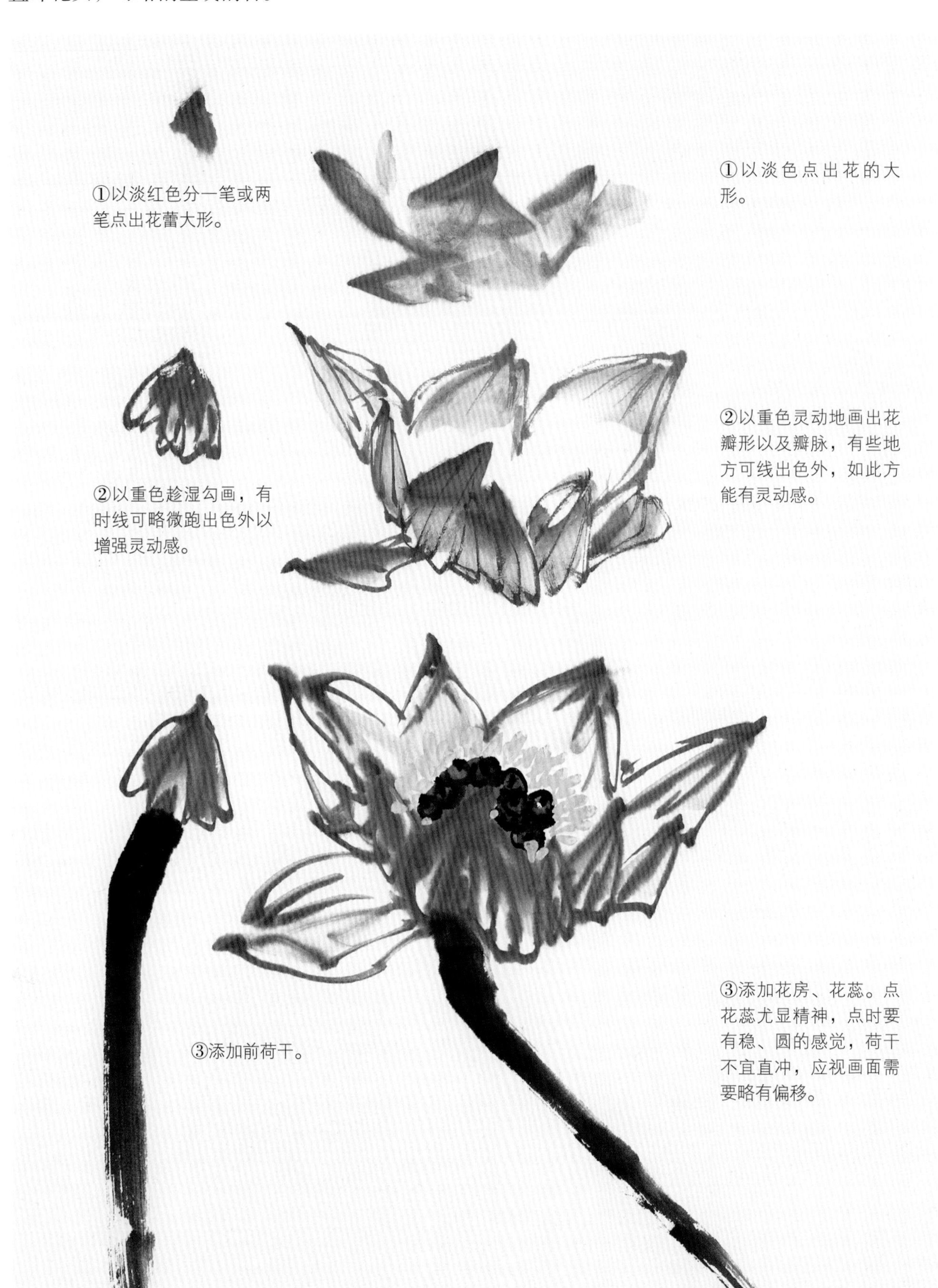

5. 彩色荷花画法二

先以红色加重色（如曙红加胭脂）画花瓣。画重叠的花瓣时，瓣与瓣之间不要过密，以防渗到一起。画完重色之后去掉笔中一些原来的颜色，以笔尖点白粉画花瓣内部。画时注意笔头在内，笔尖在外，轻轻压下，注意不要反复移动。之后再在花瓣尖上点重色“提醒”。最后以三绿加藤黄侧锋点花房，趁湿圈莲子，最后点花蕊。

①笔先含淡色，笔尖点少许重色，侧压笔头先画一笔。

②依照第一笔的方法再画上第二笔。

③再依法画第三笔，后以重墨中锋画上荷干。

①以含红色的笔在笔尖点上重色画出前瓣。

②以含有少许红色的笔加上白色画后瓣，再以重红色补提后瓣侧边。

③以三绿加少许藤黄点莲子，趁湿圈出具体莲子，以藤黄加白色点出花蕊。

花苞、莲蓬、花头举例

（二）荷叶的画法

1. 正面荷叶画法

大斗笔画荷叶，先画淡的一层墨色，注意每一笔都要对着圆心，但不要画成正圆形。在原笔尖三分之一长度上点重焦墨画外围，画时注意干湿变化，适当留飞白，如果荷叶墨色平淡可略勾叶筋。中锋用笔画荷干，同样不能正对荷叶正中心，要略偏左或偏右。

①以淡墨侧锋画叶的中心部分，注意每一笔都要对着圆心。

②趁湿以浓墨接画外围，注意叶子外边缘形状不宜尖碎，但也要有起伏变化。

2. 侧面荷叶画法

先用淡墨画叶子背面，再用重墨画叶子正面。画时注意墨块之间要留下一定“空位”，最好能出现“飞白”

①以淡墨画叶子背面，注意叶子背面的基本形状。

②以重墨画叶子正面，画时注意荷叶形状，要留一定空白，整叶要有浓淡干湿变化。

3. 残叶画法

先以干笔在纸面上搓开，再以线条勾勒叶脉，待八成干时着色。颜色可用赭石加藤黄或赭石加藤黄加石青加石绿。着色时不能平涂，要见笔，要有变化。

①以干笔在纸上擦出基本叶形，再以浓墨勾出叶脉。

②八成干时以赭石加藤黄或赭石加藤黄加石青加石绿进行着色，注意着色不宜过浓，以免伤墨。

各种叶子举例

（三）荷花创作步骤

步骤一：以淡墨向着中心点画出内为淡色的不规则形。

步骤二：以重墨围绕淡墨画出叶子的形状，注意外围要有整体感，要见笔。

步骤三：以中墨画出花头的形态，根据构图补上花蕾，以淡墨横拖画出水面。

步骤四：以浓墨圈写花房并画上花蕊与花房连接之丝状物，添画草，画草应按照画兰叶的组织方法进行，不宜乱涂。添加花蕊，对花头作进一步的边旁托染，主要以淡色、淡墨添染为主。

步骤五：最后调整全画面的协调感，题字盖章，作品完成。

步骤一：以藤黄调赭石画出荷叶基本形。

步骤二：以浓墨干笔画出荷叶筋脉，笔头调朱磦色，笔尖点胭脂画出荷花。花房以三绿填写。

步骤三：以重墨圈画莲子，以白色加藤黄点出花蕊。

步骤四：以重墨补写草，画草要以画兰的组织方法进行，以花青调藤黄点出漂浮物。

步骤五：最后调整画面，作品完成。

步骤一：以藤黄调朱磦画出荷叶大体形状。

步骤二：以重墨勾出叶形，再以重墨画倒影。

步骤三：以中淡墨画出花头。

步骤四：添加小鱼，以使画面更显生气。

步骤五：题字盖章，作品完成。

（四）写生与创作

实景一

注意取舍，选择自己喜欢，并且是主要想表现的主体。

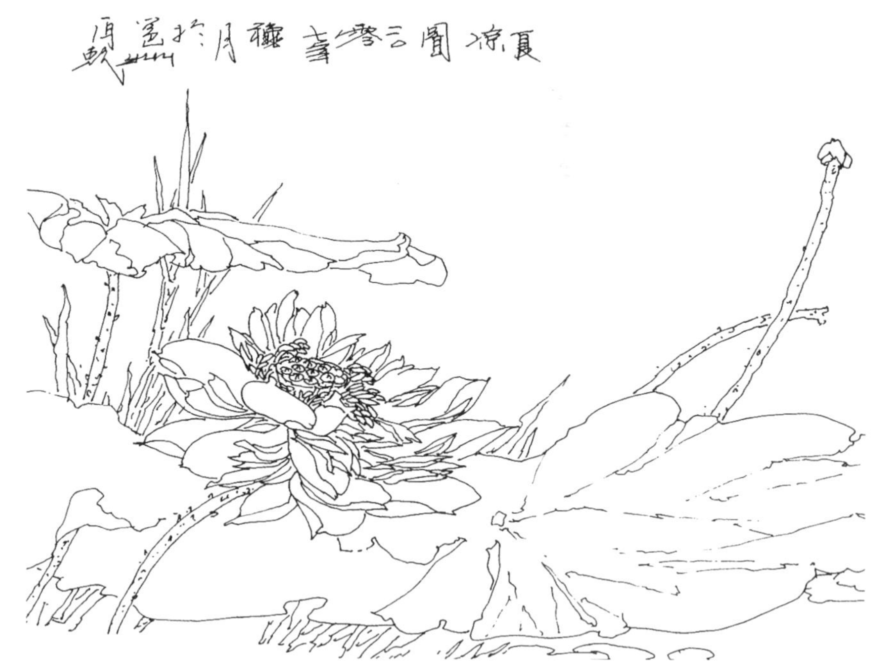

线描写生作品一

实景二

从中选取主要的对象，进行写生，不宜全部抄袭。

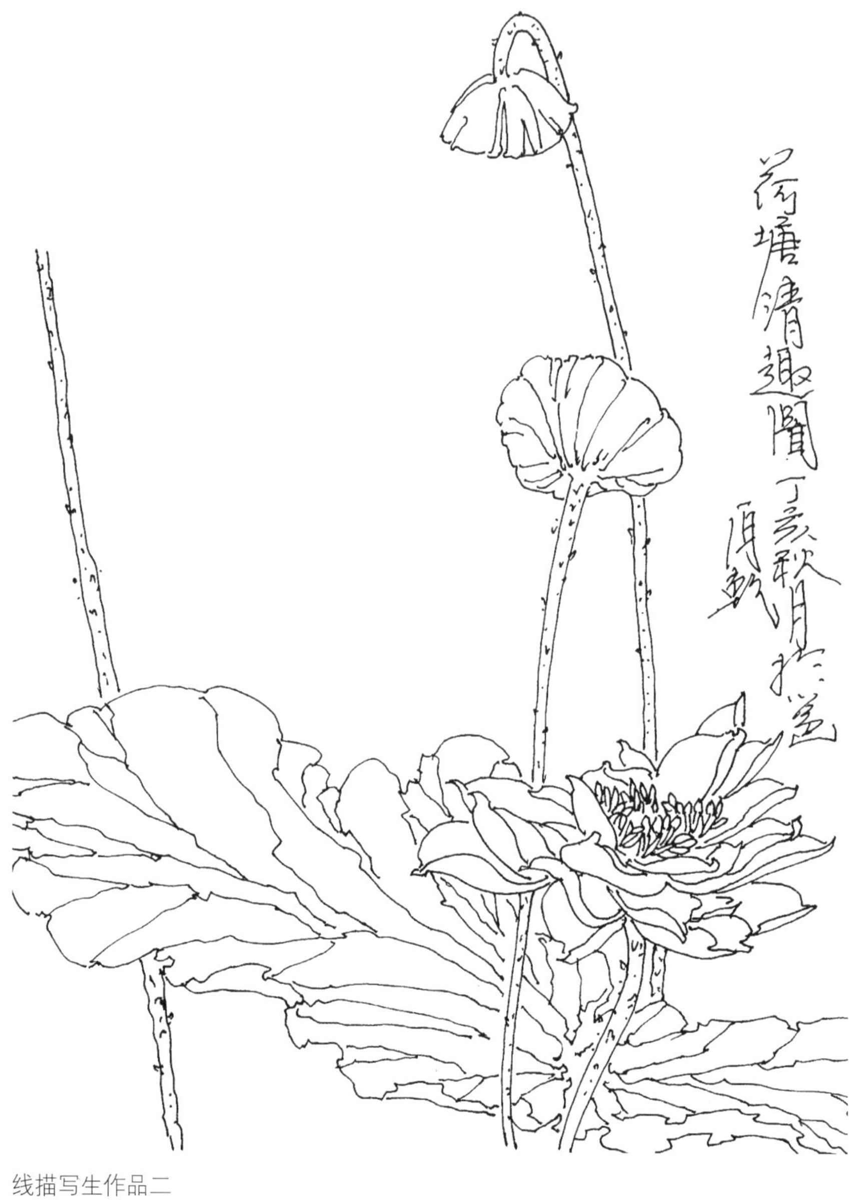

线描写生作品二

水墨写生作品

六、范画与欣赏

历代荷花诗词选

钱氏池上芙蓉（明·文徵明）

九月江南花事休，芙蓉宛转在中洲。
美人笑隔盈盈水，落日还生渺渺愁。
露洗玉盘金殿冷，风吹罗带锦城秋。
相看未用伤迟暮，别有池塘一种幽。

陈再乾　年年有余　67 cm×66 cm

陈再乾　清荷晨曲　67 cm×66 cm

历代荷花诗词选

折荷有赠（唐·李白）

涉江玩秋水，爱此红蕖鲜。
攀荷弄其珠，荡漾不成圆。
佳人彩云里，欲赠隔远天。
相思无因见，怅望凉风前。

陈再乾　风展碧莲入荷池　100 cm×53 cm

历代荷花诗词选

采莲曲（唐·王昌龄）

荷叶罗裙一色裁，芙蓉向脸两边开。
乱入池中看不见，闻歌始觉有人来。

陈再乾 清水出芙蓉 228 cm×50 cm

陈再乾 荷塘十里梦思香 132 cm×33 cm

历代荷花诗词选

荷花（唐·李商隐）

都无色可并，不奈此香何。
瑶席乘凉设，金羁落晚过。
回衾灯照绮，渡袜水沾罗。
预想前秋别，离居梦棹歌。

陈再乾　荷塘清韵图　228 cm×50 cm

陈再乾　荷塘清趣　180 cm×49 cm

历代荷花诗词选

莲花（唐·温庭筠）
绿塘摇滟接星津，轧轧兰桡入白蘋。
应为洛神波上袜，至今莲蕊有香尘。

陈再乾　碧浪银影荷飘香　67 cm×132 cm

陈再乾　清香图　98 cm×198 cm

陈再乾　芙蕖出水杆杆通　98 cm×198 cm

陈再乾　鱼戏莲　132 cm×66 cm

梁彩媚　荷塘秋莲　110 cm×70 cm

梁彩媚　秋韵　137 cm×96 cm

陈再崇　清香　67 cm×132 cm

历代荷花诗词选

荷花（清·石涛）

荷叶五寸荷花娇，贴波不碍画船摇。
相到薰风四五月，也能遮却美人腰。

李明　晚香　100 cm×53 cm

李匀　荷塘晚风　100 cm×53 cm

陈巧华　接天莲叶　132 cm×67 cm

赵先忠　秋荷　69 cm×69 cm

黄栎伊　荷香图　53 cm×50 cm

朱丹红　细语　198 cm×49 cm

吴锁　清觉图　220 cm×53 cm

历代荷花诗词选

小池（南宋·杨万里）

泉眼无声惜细流，树阴照水爱晴柔。

小荷才露尖尖角，早有蜻蜓立上头。

罗小红　清荷图　132 cm×66 cm

陈泽宇　莲池秋影图　198 cm×49 cm

谭明彪　秋意　100 cm×53 cm

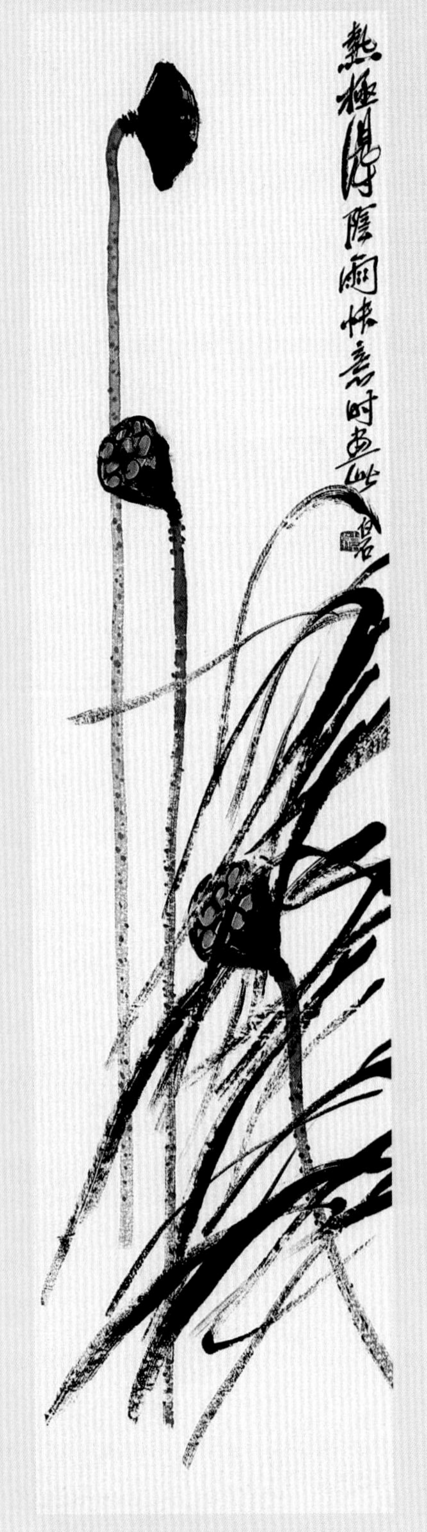

齐白石　莲蓬　134.5 cm×33 cm

齐白石　残芳　117 cm×34 cm

齐白石　荷花　151 cm×42 cm

清　奚冈　洛浦仙裳　30 cm×138 cm

齐白石　荷花　177 cm×48 cm

齐白石　墨芳　130.5 cm×34.5 cm

清　恽寿平　荷花芦草图　131.3 cm×59.7 cm

清　郑松　荷花图　129 cm×50.5 cm

清　黄慎　花卉图（之六）　27.3 cm×60 cm